JN065507

新型コロナからインフルエンザまで

# 知ってふせごう！身のまわりの感染症

監修：近藤慎太郎（内科医）

## ③ 感染症の種類と歴史

# はじめに

## シリーズ「知ってふせごう! 身のまわりの感染症」について

　「知ってふせごう! 身のまわりの感染症」は、新型コロナウイルス感染症の世界的な流行で特に注目されるようになった「感染症」について、「感染症とはなにか」「感染症をふせぐにはどうしたらよいのか」「感染症にはどんな種類があって、どのような歴史があるのか」を、イラストを多用してわかりやすく説明する全3巻のシリーズです。

　少しでも楽しく読み進められるよう、イラストでは、人間に感染して健康や生命をおびやかす存在である「感染症の病原体」を、悪役キャラクターとして描いています。でも先に種明かしをしてしまうと、病原体はおそろしい存在ではありますが、「人間たちをやっつけてやろう」と考えて感染するわけではありません。病原体となる生物たち(その多くは目に見えない微生物です)が、意思を持っているわけではないからです。

　病原体が人間に感染するのは、たまたま人間の体の中に入り込んだ小さな生物が増殖(増えること)して子孫を残すことができたため、人間の体に入り込む能力のある生物が生き残ってきたからです(その一部が病原体と呼ばれるようになりました)。つまり、「食べ物の豊富な池に魚やカエルが増えた」というのと同じ、「自然の

いろいろな感染症があり、いろいろな病原体がいます。

仕組み」の一つであるということです。

　こうした自然の仕組みがどうなっているのかを解きあかす学問を自然科学といいます。感染症などの病気を治療する医学も自然科学の一つです。わたしたちの健康を病原体から守るには、自然科学としての医学にたよるのが一番です。

　このシリーズでは、医学にもとづいた感染症の基本的な知識を皆さんにお伝えします。知識を得て、もっと興味がわいたら、学校の先生や保護者の方といっしょに、もっとくわしく調べてみてください。感染症をきっかけに、自然の仕組みという、とても大きなものを理解する手がかりがつかめるかもしれません。

## 『③感染症の種類と歴史』について

　この本『③感染症の種類と歴史』は、シリーズ「知ってふせごう！身のまわりの感染症」の第3巻です。

　子どもが特に気をつけたい感染症や、知っておいたほうがよい感染症について、また感染症と人類とのかかわりの歴史について説明しています。感染症についての深い知識を身につけて、健康で幸せな生活を送るために活用してください。

| 目次 | 新型コロナからインフルエンザまで<br>知ってふせごう! 身のまわりの感染症<br>③感染症の種類と歴史 |
|---|---|

わたしたちといっしょに
感染症を学ぼう

**このシリーズのほかの巻の構成**

**①感染症ってなに?**

**第1章 感染症ってどんな病気?**

1 病原体が体の中に入り込む

2 いろいろな病原体がいる

3 病原体はなぜ体の中に入ろうとするの?

4 感染症はなぜこわい?

5 発症しないこともある

6 人間の体も防戦する

7 どうしたら感染症とわかる?

**第2章 病原体のいろいろ**

1 ウイルスってなに?

2 細菌ってなに?

3 真菌ってなに?

4 寄生虫ってなに? ①小さい寄生虫

5 寄生虫ってなに? ②大きい寄生虫

6 病原体はほかにもいる

7 ウイルスはどんどん変化する

**第3章 感染経路を知っておこう**

1 飛沫でうつる

2 空気を伝ってうつる

3 ふれることでうつる

4 食べ物からうつる

5 お母さんから赤ちゃんにうつる

6 動物からうつる

**②感染症をふせぐために**

**第1章 感染症と免疫**

1 免疫ってなに?

2 自然免疫チームの細胞たち

3 獲得免疫チームの細胞たち

4 抗体ってなに?

**第2章 ワクチンのことを知っておこう**

1 ワクチンってなに?

2 ワクチンは万能なの?

3 予防接種について知りたい

**第3章 感染症の流行をふせぐ**

1 WHOってなに?

2 危険な感染症に備える

3 何人がかかっているかチェックする

4 国内に入れさせない

5 それでも流行したときは

**第4章 感染症を予防しよう**

1 感染症をふせぐために大事なこと

2 手を洗おう

3 うがいをしよう

4 マスクをしよう

5 生活と食事に気をつけよう

6 温度と湿度に気をつけよう

7 住まいを清潔にしよう

8 食べ物に気をつけよう

9 まわりの人に感染症をうつさない

10 家族が感染したときは?

# ① 子どもがかかりやすい感染症

地球上にはさまざまな病原体がいて、
さまざまな感染症があります。
中には子どもがかかりやすく、
気をつけなければならない感染症も多くあります。
子どもが気をつけたい代表的な感染症について説明します。

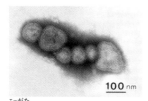

A型インフルエンザウイルス

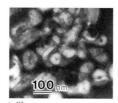

C型インフルエンザウイルス

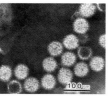

ロタウイルス

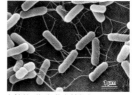

腸管出血性大腸菌 O157

写真提供：広島県立総合技術研究所保健環境センター

# インフルエンザ
## 大流行に注意！

**病原体：インフルエンザウイルス**
**感染経路：飛沫感染、接触感染**

　ウイルスに感染してから、1〜3日で発症します。38度以上の高い熱や、体のだるさ、筋肉や関節の痛み、頭痛、寒気などの症状が出ます。

　多くの場合、発症してから3〜4日で熱が下がります。けれども、熱が下がっても安心できません。まだウイルスは体の中に残っているので、人にうつしてしまう危険があるからです。ですから、発症したあと5日を経過し、さらに熱が下がったあと2日(幼児の場合は3日)を経過するまで、学校を休み、家で安静にしておく必要があります。

　人がかかるインフルエンザウイルスには、A型、B型、C型があります。このうちA型のウイルスは、渡り鳥の体の中にいたウイルスが、アヒルやニワトリにうつり、それがブタにうつり、さらには人にうつるというように、種の壁を越えて感染します。また鳥から直接人にうつることもあります。

　そんなふうにいろんな動物にうつっている間に、新型インフルエンザといって、数十年に一度、かたちが大きく変化したインフルエンザウイルスが現れることがあります。すると免疫をまだだれも持っておらず、ワクチンもないので、大流行しやすくなります。また症状が重くなって入院したり、亡くなったりする人が多く出る可能性もあります。

　一方B型とC型は、おもに人から人にうつります。B型はA型よりも症状が軽く、流行も小さな規模で収まります。C型はもっと症状が軽く、子どものときに一度感染すると免疫ができて、二度と感染することはないと考えられています。

　インフルエンザには抗インフルエンザ薬という薬があります。でも一番大切なのは、ワクチンを打ってインフルエンザにかからないよう予防しておくことです。

# かぜ症候群
## いつもの「かぜ」も感染症

病原体：ライノウイルス、コロナウイルス（新型コロナウイルスとは別のタイプ）、アデノウイルスなど
感染経路：飛沫感染、接触感染

　かぜとは、熱やせき、くしゃみ、鼻水などの症状が出る病気のことです。かぜのほとんどは数日で治りますが、肺炎などの重い病気につながることもあります。

　かぜを引き起こす病原体の多くはウイルスで、その種類は本当にさまざまです。またウイルスだけではなく、細菌の中にもかぜを引き起こすものがあります。

　細菌によるかぜは抗生剤（抗生物質、抗菌薬ともいいます）で治りますが、ウイルスによるかぜの治療薬はありません。熱が高いときには解熱剤、せきがひどいときはせき止めというように、症状をやわらげる薬を使いながら、自然に治るのを待ちます。

# はしか（麻疹）
## 小さなブツブツがたくさんできる

病原体：麻疹ウイルス
感染経路：空気感染、飛沫感染、接触感染

　はしかは、麻疹ともいいます。発症すると、まず38度以上の熱やせきが3日から5日ぐらい続きます。その後、発疹といって、小さなブツブツが顔や首のあたりにできはじめ、やがて全身に広がっていきます。

　はしかは、解熱剤などで症状をやわらげることはできますが、「これを飲めば治る」という薬はありません。そのため、はしかにかからないようワクチンを打っておくことが大切です。日本では、1歳のときと保育園や幼稚園の年長クラスのときに、麻疹・風疹混合ワクチンを合わせて2回、必ず受けなくてはならないルールになっています。

　はしかは一度かかると免疫ができて、ほとんどの人は二度かかることはありません。

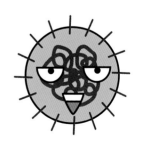

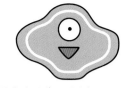

# 水ぼうそう（水痘）
## 水ぶくれができる

病原体：水痘・帯状疱疹ウイルス
感染経路：空気感染、飛沫感染、接触感染

　熱が出て、体がだるくなるとともに、体じゅうに発疹ができます。発疹は2〜3日後には水ぶくれになり、かさぶたになったあとに、2〜3週間で治ります。水ぼうそうにはワクチンが

あり、1歳の誕生日の前日から3歳の誕生日の前日までの間に、予防接種を受けなくてはならない決まりになっています。

　水ぼうそうの原因となる水痘・帯状疱疹ウイルスは、病気が治ったあとも体の中にいて、大人になってから帯状疱疹（赤い発疹と強い痛みが出る病気）という別の病気を引き起こす原因にもなります。

# おたふくかぜ（流行性耳下腺炎）
## 顔がふくらんで見える

病原体：ムンプスウイルス
感染経路：飛沫感染、接触感染

　耳の下にある耳下腺というところがウイルスに感染して起こります。耳下腺がはれて、顔が「おたふく」のようにふくらんで見えることから、「おたふくかぜ」という名前がついています。

そのほか発熱や体のだるさ、筋肉痛などの症状が出ます。治るまで10日ぐらいかかります。

　おたくふくかぜに効く薬はありません。ワクチンは開発されており、希望すれば予防接種を受けることができます。

# 風疹
## はしかと同じような症状が出る

病原体：風疹ウイルス
感染経路：飛沫感染、接触感染、母子感染

　発症すると、赤い発疹や熱が出ます。はしかと症状が似ていますが、多くの場合ははしかよりも軽く、数日で治ります。ただし妊娠中の女性がかかると、おなかの中にいる赤ちゃん

が死んだり、障害のある子が生まれてきたりする危険性が高まります。

　風疹の流行を抑えるために、麻疹・風疹混合ワクチンを、1歳のときと保育園や幼稚園の年長クラスのときに受けなくてはならない決まりになっています。

# 突発性発疹
## ほとんどの赤ちゃんがかかる

病原体：ヒトヘルペスウイルス6型、7型
感染経路：飛沫感染、接触感染

　生後6か月から1歳ぐらいまでのほとんどの赤ちゃんがかかる感染症です。

　症状は、まず38度以上の高い熱が出ます。けれども多くの場合、赤ちゃんは元気で食欲もあります。そして3〜4日で熱が下がったあとに背中やおなか、顔などに赤い発疹が出ます。

　熱が高いときには、脱水症状(体が水不足になること)になりやすいので、水分をたくさん与えながら、病気が自然に治るのを待ちます。

# 手足口病
## うつりやすいので要注意

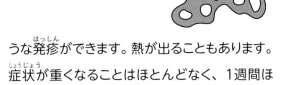

病原体：エンテロウイルス、コクサッキーウイルス
感染経路：飛沫感染、経口感染

　5歳までの小さな子どもがかかりやすく、また夏から秋にかけて流行りやすい感染症です。手足口病という名前のとおり、口の中、手のひらや手の甲、足のうらなどに、水ぶくれのような発疹ができます。熱が出ることもあります。症状が重くなることはほとんどなく、1週間ほどで自然に治ります。

　ただし元気になったあとも、1〜2か月間は、鼻水やうんちといっしょにウイルスが体の外へと出されます。ほかの子どもにうつすことがないように、注意が必要です。

# 急性中耳炎
## 耳がとても痛くなる

病原体：肺炎球菌、インフルエンザ菌など
感染経路：飛沫感染

　細菌やウイルスが、鼻から耳の中の中耳というところに入りこんでかかる感染症です。特にかぜをひいているときにかかりやすくなります。耳の中が痛くなる、耳鳴りがする、つまっている感じがするといった症状が出ます。

　細菌が原因の場合は、抗生剤を飲んで治します。症状が重いときには、耳の中の鼓膜を切って、中耳にたまっているうみを出すという治療がおこなわれます。

# 溶連菌感染症(A型溶血性連鎖球菌感染症)
## のどに感染することが多い

病原体:溶連菌(A型溶血性連鎖球菌)
感染経路:飛沫感染、接触感染

溶連菌という細菌が引き起こす感染症です。この細菌はのどに感染することが多く、のどの痛みや発熱などの症状が出ます。またイチゴ舌といって、舌にイチゴのようなつぶができ、赤くなります。

溶連菌が皮ふに感染すると、「とびひ」といって、かゆみのある水ぶくれやかさぶたが、皮ふのあちこちにできます。

溶連菌感染症は抗生剤を飲んで治します。治るまでには10日ぐらい飲み続ける必要があります。

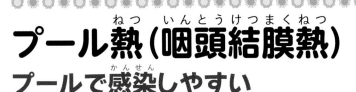

# プール熱(咽頭結膜熱)
## プールで感染しやすい

病原体:アデノウイルス
感染経路:飛沫感染、接触感染

夏に流行しやすい感染症です。発症すると、のどの中がはれて高い熱が出ます。また目が赤く充血して痛くなったり、目やにや涙が出たりします。

プール熱という名前なのは、プールの水の中に病原体がまぎれ込み、それが目に入って感染することがあるからです。プールでの感染をふせぐには、プールの水を塩素消毒することが大切です。また接触感染によってもうつります。症状をやわらげる薬はありますが、プール熱を直接治す薬はありません。

# ヘルパンギーナ
## 飲み込むときに痛い

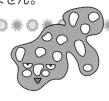

病原体:コクサッキーウイルスなど
感染経路:飛沫感染、接触感染、経口感染

1歳から4歳ぐらいまでの子どもがかかりやすい感染症で、夏に流行します。口の中の奥の上のほうに水ぶくれができ、のどの痛みや高い熱も出ます。水ぶくれがやぶれるとすごく痛いので、食べ物や飲み物を口にすることをいやがる子どももいます。

熱が高いときには解熱剤で症状をやわらげながら、自然に治るのを待ちます。熱は2〜3日で下がり、少しあとに水ぶくれも消えます。ただし手足口病と同じで、治っても1か月間ぐらいは鼻水やうんちとともウイルスが体の外へ出るため、人にうつす危険性があります。

# ジフテリア
## かかると命にかかわる

病原体：ジフテリア菌（きん）
感染経路（かんせん）：飛沫感染（ひまつかんせん）、接触感染（せっしょくかんせん）

ジフテリア菌（きん）という細菌（さいきん）が、のどの奥（おく）にある咽頭（いんとう）にくっついて感染（かんせん）する病気です。この細菌（さいきん）は、毒を出して咽頭（いんとう）の細胞（さいぼう）を殺します。そのため発熱とともに、のどが痛（いた）くなります。また咽頭（いんとう）に「偽膜（ぎまく）」という白い膜（まく）ができるため、息をするのが苦しくなります。

毒は血液を通って、心臓（しんぞう）や神経にも達します。すると神経まひといって手足がうまく動かせなくなったり、心不全といって心臓（しんぞう）の働きが悪くなったりします。

ジフテリアは、命にかかわるこわい病気です。そのため子どものときに予防接種を受けなくてはならない決まりになっています。予防接種のおかげで、今ではジフテリアにかかる子どもはほとんどいなくなっています。

# 百日咳（ひゃくにちぜき）
## せきがどんどんひどくなる

病原体：百日咳菌（ひゃくにちぜききん）
感染経路（かんせん）：飛沫感染（ひまつかんせん）

百日咳（ひゃくにちぜき）の症状（しょうじょう）は、最初のうちはふつうのかぜと変わりません。鼻水や熱、軽いせきなどが出ます。ところが発症（はっしょう）してから1〜2週間すると、せきがどんどんひどくなり、止まらなくなります。

発作が最もはげしい時期を迎（むか）えると、短いせきが続いて出るようになり、呼吸（こきゅう）しにくくなることもあります。熱はほとんど出ず、せきの発作が起こっていないときはふだんと変わりませんが、なにかのきっかけではげしい発作が起こります。夜に起こることが多いのも特徴（とくちょう）です。この時期は2〜3週間続きますが、だんだんおさまり、やがて治ります。

症状（しょうじょう）を軽くするには、百日咳（ひゃくにちぜき）にかかったばかりの早い時期に、抗生剤（こうせいざい）を飲むことが大切です。でも一番大事なのは、ワクチンによる予防です。ジフテリアなどといっしょに、子どものときに予防接種を受けなくてはならない決まりになっています。

# 破傷風
## 筋肉がちぢまってしまう

病原体：破傷風菌
感染経路：接触感染

破傷風菌は、土の中やほこりの中、動物の腸の中などにいる細菌です。切り傷やすり傷から人の体の中に入っていき、テタノスパスミンとテタノリジンという2種類の毒を出します。特にテタノスパスミンは強い毒で、筋肉が激しい痛みとともにちぢまってしまいます。最初のうちは、舌がもつれたり、顔がひきつったりという症状が始まり、重くなると歩くことや体を動かすことが困難になります。亡くなる人も多い、おそろしい感染症です。

破傷風もジフテリアなどといっしょに、子どものときに予防接種を受けなくてはならないルールになっています。もし感染したときは、抗生剤や免疫グロブリンという薬を使って、菌が増殖したり毒を出したりするのを止めます。

# ポリオ（急性灰白髄炎／小児まひ）
## 体をうまく動かせなくなる

病原体：ポリオウイルス
感染経路：経口感染

ポリオの症状は、最初のうちは発熱や頭痛、体のだるさを感じるなど、かぜと似ています。ところが腸内で増殖したポリオウイルスが、背骨の中にある脊髄に入り込むと、うでや足にまひ（うまく動かせなくなること）が起こります。まひは一生続くこともあります。

ただし、ポリオに感染しただれもが発症するわけではなく、90〜95％の人は症状がないまま、自然に治ります。

ポリオは子どもがかかりやすい感染症なので「小児まひ」とも呼ばれます。ポリオもまたジフテリアなどといっしょに、子どものときに予防接種を行う決まりになっています。予防接種のおかげで、今の日本ではポリオを発症する人はいなくなりました。

## 食中毒 ノロウイルス感染症
### 下痢と吐き気がひどい

病原体：ノロウイルス
感染経路：経口感染

秋から冬にかけて、毎年のように流行る感染症です。発症すると、ひどい下痢と吐き気に苦しめられます。治るまでには2日程度かかります。

感染者のうんちや吐いたものの中には、たくさんのウイルスが混じっています。ですから家族が感染したときには、トイレや部屋の消毒をしっかりしないと、ほかの家族にも感染しやすくなります。

ノロウイルス感染症を治す薬はありません。体が弱っているときには、点滴などで栄養を補給しながら、自然に治るのを待ちます。

## 食中毒 腸管出血性大腸菌感染症
### 病原体の毒が強い

病原体：腸管出血性大腸菌O157
感染経路：経口感染

大腸菌の多くは「善玉菌」ですが、中には「悪玉菌」もいます。腸管出血性大腸菌O157もその一つ。強い毒を出す細菌で、発症すると水のような下痢が出ます。ひどいときにはうんちに血が混じることもあります。さらにおしっこがまったく出なくなる病気を引き起こすこともあり、亡くなる人もいます。

O157による下痢を起こしたら、点滴をしたり抗生剤を飲んだりして治療します。熱に弱い細菌なので、お肉はきちんと焼いてから食べるなど、O157にかからないようにするのが一番大事です。

## 食中毒 カンピロバクター感染症
### かかる人が多い

病原体：カンピロバクター
感染経路：経口感染

カンピロバクターは、ウシやニワトリなど、いろいろな動物の腸の中にいる細菌です。動物はこの細菌が体の中にいても、病気にはなりません。けれども人が、この細菌がついている食べ物を口にして感染すると、発熱や腹痛、下痢などの症状が出ます。食中毒の中でも、発症する人の数が多い感染症です。

ただし、多くの場合、症状はそれほど重くはなりません。抗生剤が効きますが、ほとんどは薬を飲まなくても2〜5日ぐらいで自然に治ります。

# 食中毒 サルモネラ感染症
## 水のような下痢を起こす

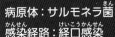

病原体：サルモネラ菌
感染経路：経口感染

　サルモネラ菌は、ウシやニワトリなどの家畜のほか、ペットや野生動物の腸の中にもいる細菌です。人には、菌がついている肉や卵を食べることが原因で感染します。

　発症すると、水のような下痢や吐き気、腹痛などの症状が出て、長いときは1週間ぐらい続きます。下痢が長引くと脱水症状が起こりやすくなるので、水分をしっかりとることが大切です。場合によっては抗生剤を使うこともあります。

# 食中毒 ロタウイルス感染症
## ほとんどの子どもがかかる

病原体：ロタウイルス
感染経路：経口感染

　乳幼児期に、ほとんどの子どもが一度は感染します。それまでは元気だったのに急に吐きはじめ、白っぽい下痢をします。高熱が出る子もいます。この症状が1週間ほど続くことも

あります。

　この感染症に効く薬はありません。世界では多くの子どもが亡くなり、日本でも入院する子どもが毎年数万人います。ワクチンがあるので、日本では2020年10月から、赤ちゃんのときにロタウイルスの予防接種を必ず受けなくてはならない決まりにしました。

# 食中毒 ボツリヌス中毒
## 亡くなることもある

病原体：ボツリヌス菌
感染経路：経口感染

　ボツリヌス菌は、強い毒を持っている細菌です。酸素がある場所だと生きられないため、缶づめや真空パックの食品の中などで増殖します。人の体の中に入り込むと、毒を出して、

吐き気やめまいなどの症状を引き起こします。ものが見えにくくなったり、食べ物を飲み込みにくくなったりもします。

　この病気に感染した人には、抗毒素といって、毒の力を弱くする薬をできるだけ早く使うことが大事です。手遅れになると、亡くなることもあるこわい病気です。

第1章 たくさんの感染症がある

# ② 知っておきたい感染症

感染症には、大人になってからも
気をつけなければならない病気がたくさんあります。
安全に楽しく暮らしていくために、
今のうちから知っておいたほうがよい感染症について説明します。
なお、感染症はほかにもあるので、ぜひ調べてみてください。

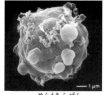

HIV(ヒト免疫不全ウイルス)

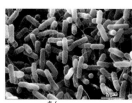

サルモネラ菌

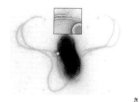

ヘリコバクター・ピロリ(ピロリ菌)

写真提供：広島県立総合技術研究所保健環境センター

16

# 新型コロナウイルス感染症（COVID-19）

コロナウイルス

## 世界を悩ませる新しいウイルス

病原体：新型コロナウイルス（SARS-CoV-2）
感染経路：飛沫感染、接触感染

新型コロナウイルス感染症は、2019年12月に中国で、感染した人が初めて見つかりました。2020年9月8日時点で感染の「もと」は不明です。もしかすると、これまで動物のあいだで感染していた病原体が、人の体にも入り込み、人から人にもうつるようになったのかもしれません。

その後、数か月間で世界中に感染が広がり、2020年9月8日時点で感染者数は約2730万人、死者数は約89万人に達してします。

人に感染して発症するコロナウイルスは、新型コロナウイルスをふくめて7種類あります。そのうち4つのウイルスは、かぜの症状が出るだけで、感染してもそれほど心配することはありません。

新型コロナウイルスも、発症してから1週間ぐらいは、せきや鼻水、のどの痛み、発熱など、症状はかぜとあまり変わりません。そして80%の人はそのまま治ってしまいます。また、感染しても症状が出ない人も多くいます。

ところが発症すると、肺炎といって肺の働きが悪くなり、息をするのも苦しくなったり、はげしくせき込んだりするようになります。さらに、発症した人のうちの5%は、自分では呼吸ができなくなり、命を守るためには集中治療室（ICU）で特別な治療を受ける必要があります。しかし残念ながら、発症した人の数%は亡くなってしまいます（国によって差があります）。

新型コロナウイルスは、まったく新しい感染症です。そのため世界中の病気や薬の専門家たちが、必死になってワクチンや薬を作るための研究に取り組んでいるところです（2020年9月8日現在）。

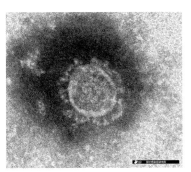

新型コロナウイルス

写真提供：国立感染症研究所

# コロナ ウイルス SARS(重症急性呼吸器症候群)
## 2002年にアジアとカナダを中心に流行

病原体：SARSコロナウイルス
感染経路：飛沫感染、接触感染

SARSコロナウイルスは、人に感染して発症する7種類のコロナウイルスのうち、2002年に見つかった5つめのウイルスです。

それまでのコロナウイルスは、発症してもかぜ程度でおさまっていましたが、SARSはちがいました。発熱や筋肉痛などの症状が出たあと、発症した人の約20%に呼吸困難などの重い肺炎の症状が出ました。そして約10%が亡くなったのです。

感染は2002年11月に中国から始まり、アジアとカナダを中心に流行。800人近くが亡くなり、2003年7月に流行がおさまりました。日本では感染した人はいませんでした。

SARSには、ワクチンも特効薬もありません。肺炎の症状をやわらげる薬などを使いながら、回復していくのを待ちます。

# コロナ ウイルス MERS(中東呼吸器症候群)
## ラクダから人の体に入り込んだ

病原体：MERSコロナウイルス
感染経路：飛沫感染、接触感染

MERSコロナウイルスは、2012年にサウジアラビアで見つかったコロナウイルスです。ヒトコブラクダの中にいたウイルスが人の体の中に入り込み、人から人へとうつるようになったと考えられています。

このウイルスに感染して発症すると、発熱やせき、息切れなどの症状が出ます。さらに重くなると、呼吸ができなくなってしまいます。2019年11月末までに中東の国々を中心に約

2500人がMERSにかかり、約850人が亡くなりました。特にお年寄りほど症状が重くなり、亡くなることの多い感染症です。日本では今のところ感染した人はいません。

MERSについても、ワクチンや特効薬はまだありません。

# エイズ（後天性免疫不全症候群）
## 免疫細胞を殺すウイルス

病原体：病原体：HIV（ヒト免疫不全ウイルス）
感染経路：性行為、母子感染

病原体が体の中に入ってくると、免疫細胞がこれを退治しようと戦います。ところがHIV（ヒト免疫不全ウイルス）は、免疫細胞に感染して、これらの細胞をどんどん殺していきます。そのため免疫細胞の数が減り、ほかの病原体が体に入ってきたときに戦えなくなってしまいます。すると、いつもなら簡単に退治できる病原体にも負けてしまい、さまざまな感染症にかかります。これがエイズです。

エイズは、感染してから発症するまでに10年以上かかることもあります。毎年100万人前後が亡くなっています。感染経路は、性行為による感染が一番多く、ほかに母子感染もあります。ワクチンや、ウイルスを駆除（取り除くこと）する薬はありませんが、HIVの増殖をふせぐ薬は作られています。

# エボラ出血熱
## 血液や汗からうつる

病原体：エボラウイルス
感染経路：接触感染

エボラ出血熱は、これまでアフリカで何度も流行してきた感染症です。発症すると、最初に発熱や頭痛、筋肉痛などの症状が出ます。次に下痢や嘔吐が始まり、さらには体のいろいろなところから血が出始めます。発症した人の30％から90％が亡くなります。ワクチンや特効薬はまだありません。ただし安全で効果のあるワクチンが、あと少しで完成というところまできています（2020年7月末現在）。

この感染症は、感染した人の血液や汗、吐いたものなどにふれることでほかの人にうつります。飛沫感染や空気感染をすることはありません。ですから感染した人に直接ふれないようにするなどの対策をとることで、感染の広がりをふせぐことは十分に可能です。

# 結核
## 発症したら専門の病院に入院

病原体：結核菌
感染経路：空気感染

発症すると、せきや38度以下の熱が2週間以上続き、やがて胸の痛みや体のだるさを感じるようになります。また、たんに血が混じり始めます。さらに重くなると、息をするのがつらくなり、亡くなることもあります。

結核は、赤ちゃんのときに予防接種を受ける決まりになっていますが、効果は10〜15年しか続きません。発症すると、専門の病院に入院します。治療には、抗結核薬という薬が使われます。しかし薬が効かない結核菌が出てきていて、問題になっています。

# 天然痘
## 世界からほとんどなくすことに成功

病原体：天然痘ウイルス
感染経路：空気感染、接触感染

天然痘は、39度以上の発熱や頭痛と、全身に発疹ができる感染症です。かつてはこの病気にかかることを世界中の人々がおそれていました。感染力（人から人にうつる力）がとても強く、発症すると20〜50％もの人が亡くなっていたからです。

しかしワクチンの開発によって、状況は変わりました。WHO（世界保健機関）では「天然痘をなくす」という目標を立て、世界中でワクチンの接種を行いました。1980年には世界からなくなったという宣言が出されています。

# マラリア
## 蚊が病原体を運んでくる

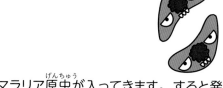

病原体：マラリア原虫
感染経路：蚊によって感染

アフリカで多く見られる感染症で、毎年約200万人が亡くなっています。マラリアを引き起こすマラリア原虫は、ハマダラカという蚊が運んできます。人がこの蚊に刺されると、体内にマラリア原虫が入ってきます。すると発熱や頭痛、吐き気などの症状が現れ、重症化するとさまざまな症状が重なって死に至ります。

マラリアには、予防薬や治療薬が作られています。流行している土地に行くときは必ず予防薬を飲むようにします。

# 狂犬病
## 発症するとほぼ100%亡くなる

病原体：狂犬病ウイルス
感染経路：動物にかまれて感染

狂犬病に感染しているイヌや野生動物にかまれることで感染します。人の場合は発症すると、興奮・不安・錯乱や高熱のほかに、水を見ると筋肉がけいれんするなどの症状が起こり

ます。そしてほぼ100%亡くなります。

狂犬病の発生をふせぐ一番の方法は、飼い犬へのワクチンの接種です。日本では60年以上狂犬病は出ていませんが、飼い犬にワクチン接種をしない人が増えているのが心配です。

# 細菌性赤痢
## 血の混じった下痢が出る

病原体：赤痢菌
感染経路：経口感染

衛生状態の悪い国に多く、そうした国で感染した帰国者から感染が広がることがあります。赤痢菌の混じった食べ物や飲み物を口にして、赤痢菌が大腸に入ると、増殖しながら

毒を出して大腸の細胞を傷つけます。すると、腹痛とともに血のまじった下痢出始め、1日に何回もトイレにかけ込むことになります。

赤痢になった人に抗生剤を使うようになり、亡くなる人は減りました。しかし最近、抗生剤の効かない赤痢菌が現れ始めて問題になっています。

# 腸チフス
## 薬の効かない菌も出てきている

病原体：チフス菌
感染経路：経口感染

腸チフスも、衛生状態がよくない国に多い病気です。チフス菌が混じった食べ物や飲み物を口にすることで感染します。菌が体に入ると、高熱や頭痛、全身のだるさ、発疹、下痢や便秘などの症

状が出ます。重くなると、腸に穴が開いたり、出血したりします。

感染した人には抗生剤を使います。しかし赤痢と同じく、薬が効かないチフス菌が現れ、問題になっています。

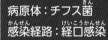

# 口唇ヘルペス
## 体が弱ったときにかかりやすい

病原体：単純ヘルペスウイルス
感染経路：飛沫感染、接触感染

　口唇ヘルペスは、口のまわりに小さな水ぶくれができる感染症です。水ぶくれがピリピリ痛んだり、かゆくなったりします。原因となるウイルスには、多くの人が子どものころに感染しています。けれどもふだんは症状が出ることはなく、ウイルスは体の中でじっとしています。ところが疲れやストレスなどで免疫細胞の働きが弱くなると、ウイルスが活動を開始して病気を引き起こすのです。

　かかった人には、抗ウイルス薬を使ってウイルスの増殖を抑える治療を行います。

# デング熱
## 日本でも感染する人が出た

病原体：デングウイルス
感染経路：蚊によって感染

　デング熱は、熱帯、亜熱帯の国や地域で多く見られます。デングウイルスを持っている蚊に刺されることで感染します。発症すると、発熱や頭痛、筋肉痛、発疹などの症状が1週間ぐらい続きます。この病気を治すための薬はなく、解熱剤などの症状をやわらげる薬を使いながら、病気が治るのを待ちます。

　日本では2014年に、69年ぶりに感染者が出ました。本来は暑い国でしかかからない病気ですが、地球温暖化が進む中で、感染地域が広がっていくことが心配されています。

# 寄生虫 エキノコックス症
## 肝臓に寄生する

病原体：エキノコックス
感染経路：経口感染

　エキノコックスは、幼虫のときにはノネズミ、成虫になるとそのノネズミを食べたキツネやイヌなどの体の中に住む寄生虫です。そしてイヌやキツネの体の中で卵をうみ、卵は糞といっしょに外に出ます。この卵が人の体内に入ると、肝臓に寄生して幼虫になり、重い肝臓の病気を引き起こします。さらには肺や脳などにも寄生します。この病気を治すには、患部を手術で切り取るしかありません。

　これまで日本では北海道特有の病気でしたが、近年は本州でも見られることがあります。

## （寄生虫）ぎょう虫感染症
### おしりがかゆくて寝不足になる

病原体：ぎょう虫
感染経路：経口感染

ぎょう虫は人の大腸に見られることがある寄生虫です。メスは夜に人が寝ているときに、肛門のまわりに卵を産みます。するとかゆくなって、ついおしりをかいてしまい、手に卵がつきます。その手で口のあたりをさわるなどすると、卵の中で育っていた幼虫が体の中に入り、ふたたび感染します。いっしょに住んでいる人に感染することもあります。

肛門がかゆくてあまり眠れず、寝不足になる人もいます。感染したときは、ぎょう虫駆虫薬を飲んで治します。

## （寄生虫）回虫症
### 昔は大勢が感染した

病原体：回虫
感染経路：経口感染

回虫は人の小腸や肺などに寄生します。小腸の中で卵をうみ、人のうんちといっしょに外へ出ます。その卵がついた野菜などを、人が食べることで感染が広がります。

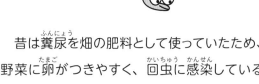

昔は糞尿を畑の肥料として使っていたため、野菜に卵がつきやすく、回虫に感染している人がたくさんいました。

回虫は成虫になると20〜30センチもの大きさになります。数が増えると、吐き気、腹痛、おなかのはれ、おなかのけいれんなどの症状が出ます。駆虫薬を飲んで治します。

## （寄生虫）条虫症
### 加熱せずに食べると感染するかも

病原体：日本海裂頭条虫、有鉤条虫、無鉤条虫
感染経路：経口感染

条虫（サナダムシ）には、サケやマスなどの魚に寄生する日本海裂頭条虫、ブタに寄生する有鉤条虫、ウシに寄生する無鉤条虫などがいます。条虫が寄生している魚や肉を十分に加熱しないまま食べると、人の体に感染することがあります。日本で多いのは日本海裂頭条虫で、その長さは時に10メートルを超えます。

感染しても軽い腹痛や下痢になるぐらいで、症状がない人もたくさんいます。虫を退治する駆虫薬を飲んで治します。

# 肺炎
## 日本では毎年10万人が亡くなる

病原体：肺炎球菌、インフルエンザ菌、マイコプラズマ、レジオネラ菌、インフルエンザウイルス、クラミジアなど
感染経路：飛沫感染、接触感染

　肺炎は、肺の中に病原体が入り込むことによって起こります。高い熱やひどいせき、息切れなどの症状が出ます。また喘鳴といって、息をするときに「ゼーゼー」「ヒューヒュー」といった音がするようになります。さらに重くなると、人工呼吸器を使わなければ呼吸ができなくなってしまいます。日本では毎年約10万人が肺炎で亡くなっています。

　肺炎に感染しているかどうかは、X線撮影(レントゲン)をするとわかります。肺に白い影が写るからです。

　肺炎にかかりやすいのは、体力が弱い小さな子どもやお年寄りです。特にお年寄りに多

いのが、誤嚥性肺炎です。わたしたちはふだん、口に入れた食べ物がまちがって気管から肺に入りそうになったときには、せきをしたり、むせたりすることで食べ物を押し戻すことができます。けれども年をとってせきをする力やむせる力が弱っていると、食べ物といっしょに病原体も肺の中に入れてしまい、肺炎になってしまうのです。

　肺炎を引き起こす病原体は、細菌では肺炎球菌やインフルエンザ菌、マイコプラズマ、ウイルスではインフルエンザウイルスなどさまざまです。新型コロナウイルスも肺炎を引き起こします。ですから肺炎になった人に使われる薬も、病原体によってちがってきます

　ちなみに、インフルエンザ菌とインフルエンザウイルスはまったくちがう病原体です。よく誤解されるので注意してください。

# ぼうこう炎
## おしっこをするのがつらくなる

病原体：大腸菌など
感染経路：大腸、直腸などから細菌がぼうこうに入って感染

　ぼうこうは、おしっこをためておく場所です。ぼうこう炎は、大腸の中にいる大腸菌などの細菌が、尿道からぼうこうに入り込んで起こる感染症です。女性に多く見られます。おしっこをするときに痛みが出たり、おしっこに血が混じっていたり、何回もトイレに行きたくなったりします。治療には抗生剤が使われます。

# 虫垂炎
## 右下腹がすごく痛くなる

病原体：大腸菌、バクテロイデスなど
感染経路：虫垂に細菌が入って感染

　虫垂とは、盲腸にある5～10センチの袋状の突起物です。虫垂炎は、うんちや異物などによって虫垂の入口がせまくなって、中で細菌が繁殖することで起こり、右下腹がひどく痛くなります。この状態を「盲腸」と呼ぶこともありますが、「虫垂炎」のほうが正確です。治療法は、抗生剤で治す場合と、手術をして虫垂を切り取ってしまう場合があります。

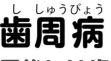

# 歯周病
## 最後には歯が抜けてしまう

病原体：ポルフィロモナス・ジンジバリスなど
感染経路：経口感染

　歯周病は、細菌が歯の表面にプラークというネバネバとした物質を作り出し、そこにたくさんの細菌が住みつくことで起きます。歯周病になると歯ぐきのはれや出血が起こり、最後には歯が抜けます。
　歯周病は予防が大切です。毎日の歯みがきをしっかり行い、気になったときは早めに歯医者さんに行きましょう。

# 水虫(白癬)
## 足に感染することが多い

病原体：白癬菌
感染経路：接触感染

　水虫は、白癬菌という真菌(カビ)が皮ふに寄生して起こる病気です。特に寄生しやすいのは足の指やつめ、足のうらなどです。靴の中は温度や湿度が高くなりますが、白癬菌はそういう環境が大好きなのです。水虫になると、皮ふがじくじくしたり、水ぶくれができたり、皮がむけたりして、とてもかゆくなります。皮ふに抗生剤をぬって治します。

## 性病 梅毒
### ゆっくり進行する

病原体：トレポネーマ・パリダム
感染経路：性行為、母子感染

　梅毒は、おもに性行為をしたときに皮ふや粘膜にできた小さな傷口から、細菌が体内に入り込んで感染します。発症すると第1期では性器や口のまわりに「しこり」が、第2期では体じゅうに発疹ができます。

　治療せずに何年も放置していると、皮ふや筋肉にゴムのようなかたまり（ゴム腫）ができたり、細菌が脳や神経、大きな血管に達して、死に至ったりします。また、妊娠中に梅毒に感染すると、赤ちゃんに先天的な障害が生じることがあります。

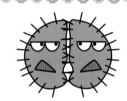

## 性病 淋菌感染症
### 赤ちゃんができなくなるリスクも

病原体：淋菌
感染経路：性行為、母子感染

　おもに性行為によって、淋菌という細菌が体の中に入り込むことで起こる感染症です。発症すると、男性はおしっこをするときに痛みが出たり、尿道からうみが出たりします。

　女性の場合は、感染しても症状が出ない人が少なくありません。気づかずにそのままになると、不妊症（赤ちゃんができなくなる病気）など、ほかの病気を引き起こすリスクがあります。かかったときは抗生剤を使って治します。

## 性病 性器クラミジア感染症
### 症状が出にくいからこそ要注意

病原体：クラミジア・トラコマチス
感染経路：性行為

　性感染症としては最もよく見られます。男性の場合は尿道に感染し、尿道からうみが出てきてかゆくなり、またおしっこするときには痛みを感じます。女性の場合は子宮や卵管に感染し、腹痛が生じます。ただし男女ともに症状が出ないことも少なくありません。不妊の原因にもなります。また、赤ちゃんが生まれるときにお母さんから感染し、肺炎や結膜炎を起こすこともあります。抗生剤を使って治します。

# 子宮頸がん
## ウイルスががんの原因に

病原体：ヒトパピローマウイルス
感染経路：性行為

　子宮頸がんは、子宮の入り口にある子宮頸部にできる女性特有のがんです。子宮頸がんの発症には、ヒトパピローマウイルスが関係しています。性行為をしたときにこのウイルスが子宮頸部に感染し、その状態が続くと、やがてがんになることがあるのです。

　ワクチンが開発されており、女性は小学校6年〜高校1年までの間に接種することが望ましいとされています。ただし重い副作用が起こる可能性もうたがわれたため、国は今、積極的にすすめることを一時的にやめています。

# 胃がん
## 細菌ががんの原因に

病原体：ヘリコバクター・ピロリ（ピロリ菌）
感染経路：経口感染

　ピロリ菌は、胃の中に住みつく細菌です。子どものときに、ピロリ菌に汚染された水や食物を摂取して感染すると考えられています。昔はほとんどの人がピロリ菌に感染していましたが、環境が清潔になったことにより、感染者は減少しています。

　ピロリ菌に感染していると、胃がんや胃潰瘍、十二指腸潰瘍などの病気にかかりやすくなります。胃の中にピロリ菌がいるかどうかは、検査ですぐにわかります。いる場合は、抗生剤で退治します。

# MRSA感染症
## 薬が効きにくい感染症

病原体：メチシリン耐性黄色ブドウ球菌（MRSA）
感染経路：接触感染、院内感染

　黄色ブドウ球菌は、切り傷の化膿、食中毒、肺炎の原因となる細菌です。1940年代にペニシリンという抗生剤が開発されたことで、この細菌を殺すことが可能になりました。ところがペニシリンが効かない黄色ブドウ球菌が現れたため、メチシリンという抗生剤が作られました。すると今度は、メチシリンも効かないメチシリン耐性黄色ブドウ球菌（MRSA）が出てきたのです。細菌と抗生剤による「いたちごっこ」です。薬が効かないと病気が重くなるため、お医者さんを困らせています。

# 第2章 人類と感染症

## ① 農業が感染症にかかわっている?

　ここからはわたしたち人類と感染症の関係を、歴史の流れに沿って見ていきましょう。

　わたしたち「ホモ・サピエンス」の直接の祖先が、進化によって地球上に現れたのは約20万年前のことです。そのころから人々は、感染症に悩まされていました。

　でも今とちがって、感染症が大流行することはなかったと思われます。当時の人たちは、小さな集団で獲物を追って移動しながら暮らしていました。ほかの集団と接触することは少なく、感染症が人から人へとうつって広がっていくことは、あまりなかったのです。

　ところが約1万年前に農業が始まると、人々は水が豊富にあって作物が育てやすい場所に集まり、その場所にとどまって暮らすようになります。農業によって食べ物が安定して得られるようになったことで、人口も増えていきました。たくさんの人が同じ場所に集まって暮らすようになると、感染症も人から人へとうつりやすくなります。

　また人々は、ヒツジやヤギ、ウシやブタなどの家畜を飼うようになります。人や家畜が増えれば、動物の体に寄生している寄生虫も増えますし、蚊やダニ、シラミなども増えます。さらに人々が収穫した作物をねらって、ネズミも集まってきました。感染症は人から人だけではなく、動物から人にもうつりますから、家畜を飼い始めたことも感染症を広げ

人や家畜が集まることで病原体が活動しやすくなります。文明の誕生は感染症流行の始まりでもありました。

る要因になりました。

　農業によって人々の暮らしは安定しましたが、一方で感染症の流行を生み出すことにもなりました。

# 人や動物が集まると感染症が発生する

人類は豊かになったけど……

# ② 貿易が感染症を世界に広げた

農業によって生活が安定して人口が増えると、村や町ができ、やがて都市もできました。一つの場所に集まって暮らす人が増えれば増えるほど、感染症も流行しやすくなります。

ただし農業が始まり、各地に町や都市ができたころは、一つの感染症が地域を越えて世界中で大流行することはありませんでした。風土病といって、その地域だけで流行する病気にとどまっていました。

その状況が変化し始めたのは、だいたい2〜3世紀ごろのこと。ユーラシア大陸の東西を結ぶ道路（シルクロードと呼ばれています）が整備され、中国と中東やヨーロッパの人たちが、貿易のために盛んに行き来するようになってからです。

このとき運ばれたのは、中国やヨーロッパのめずらしい品々だけではありませんでした。中国からはヨーロッパにペストという感染症が、ヨーロッパからは中国に天然痘やはしか（麻疹）が運ばれたのです。

とくに猛威をふるったのはペストでした。6世紀には東ローマ帝国で大流行し、首都のコンスタンティノープル（今のイスタンブール）では人口の30〜40%が亡くなり、ひどいときには1日で1万人が死んだという記録があります。

貿易も人々の生活を豊かにするために欠かせないものですが、一方で感染症の世界的な大流行をもたらしたのです。

中東やヨーロッパから

シルクロード

天然痘ウイルス

見えない病原体を運んでしまったんだ

# シルクロードは病原体の通り道でもあった

大昔の貿易では、めずらしい品物といっしょに病原体も運ばれました。

ユーラシア大陸

ペスト菌

中国から

## ペストは黒死病と呼ばれておそれられた

ペストは感染者の皮ふが黒くなることから黒死病と呼ばれておそれられました。17世紀のヨーロッパでは、ペストを治療する医師は鳥のくちばしのようなマスクをつけました（右上）。当時は空気のせいで感染すると考えられていたので、マスクの中に香辛料を詰めて予防しようとしたのです。

# ③ 何度も起こった感染症の大流行

これまでいろいろな感染症が、世界中で大流行しました。

14世紀にはヨーロッパでペストが大流行し、全人口の30%から40%もの人が亡くなりました。当時のヨーロッパでは、多くの人がキリスト教のカトリックを信仰していました。ところがカトリック教会は、ペストから人々を救うことがまったくできなかったため、すっかり信用を低下させてしまいました。

南北アメリカ大陸では16世紀に、当時ヨーロッパの大国だったスペインが、軍隊を送ってアステカ王国やインカ帝国をほろぼしました。2つの国の兵士たちが弱かったからではありません。スペイン人が持ち込んだ天然痘が大流行し、多くの人が死んでしまったのが一番の理由でした。アステカ王国の人口は2500万人から300万人に、インカ帝国の人口は1000万人から130万人にまで減りました。

また、コレラはもともとインドだけで流行していた風土病でした。ところがイギリスをはじめとするヨーロッパの多くの国々が、お金もうけをもくろんでインドに進出してきてコレラに感染し、そこから世界中に広がっていったのです。

コレラは江戸時代末期の日本にも上陸。発症するとすぐにころりと死んでしまうことから、「コロリ」と呼ばれておそれられました。

## 日本では疫病退散の妖怪も生まれた

江戸時代、疫病（感染症）を予言して退散させる妖怪の噂が広まりました。有名なアマビエのほかに、コロリ（コレラ）を退散させる姫魚という妖怪もいました。

アマビエ

姫魚

## 昔は病原体のことをだれも知らなかったんだ

# 船は病原体も運んできた

ヨーロッパの大国は世界中に船出をし、知らないうちに感染症を広めることになりました。

# ④ 病気から差別も生まれた

　11世紀から13世紀ごろにかけて、ヨーロッパでハンセン病という病気が流行しました。この病気は発症（はっしょう）すると、手足などの神経（きんにく）がまひしたり、筋肉がちぢんで手足が変形したりするというものです。当時の人たちは、ハンセン病にかかった患者（かんじゃ）のことを、「罪をおかしたから、神様から罰（ばつ）をあたえられたのだ」と考えました。そして患者（かんじゃ）を収容所（しゅうようじょ）に押（お）しこめ、社会からひきはなしてしまいました。

　その後、医学の発達とともに、ハンセン病は神様があたえた罰（ばつ）ではなく、らい菌（きん）という細菌（さいきん）によって起こる感染症（かんせんしょう）であることがわかりました。らい菌（きん）の感染（かんせん）力はとても弱くて、患者（かんじゃ）の中でも一部の人しか菌（きん）を外に出さず、家族などかなり長い間患者（かんじゃ）と接触（せっしょく）している場合でないと、うつりにくい病気であることも明らかになりました。また1940年代には、薬で治る病気にもなりました。

　しかし、ハンセン病患者（かんじゃ）に対する差別が消えることはありませんでした。日本では1931年に「癩予防法」（らい）（1953年からは「らい予防法」）という法律（ほうりつ）が作られ、患者（かんじゃ）は強制的に療養所（りょうようじょ）に入れられました。また、子どもを産めないようにするための手術が行われました。ハンセン病になっただけで、社会に出て働いたり、子どもを産んだりといった当たり前の人生を歩むことがゆるされなくなってしまったのです。この法律が廃止（ほうりつ）（はいし）になったのは、ハンセン病が治る病気になってから約50年も経った1996年のことでした。

　わたしたちの心の中には、病気に感染（かんせん）した人のことを「イヤだ」「こわい」「遠ざけたい」という気持ちがあるようです。その気持ちが差別やいじめを生み出します。感染症（かんせんしょう）は、だれにでもうつる可能性があります。病気になった人に差別やいじめをする人は、今度は自分が病気になったときに、差別やいじめを受ける側になるかもしれません。

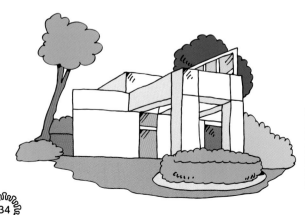

## ハンセン病を正しく理解するための資料館

国立のハンセン病療養所（りょうようじょ）の一つ、東京都東村山市の多磨全生園（たまぜんしょうえん）には「国立ハンセン病資料館」が併設（へいせつ）されています。患者（かんじゃ）への誤（あやま）った差別の歴史や、ハンセン病を正しく理解するための展示（てんじ）が行われています。

# 病気になった人への差別は悪魔のすること

病気になる可能性はだれにでもあります。また、病気の人を差別しても病気がなくなるわけではありません。差別は科学的にまったく意味のない、悪魔にそそのかされたような振る舞いといえます。

差別 ぜったい だめ！

# 5 病原体の謎に挑んだ人たち

昔から多くの人が、さまざまな感染症に苦しめられてきました。けれども「なにかが悪さをして人にうつる病気のようだ」ということはわかっても、なにが作用して病気がうつるのか、理由はよくわかっていませんでした。

なにしろ感染症のほとんどは、目には見えない小さな病原体が引き起こす病気です。顕微鏡がない時代には、目に見えないものは確かめようがありませんでした。

顕微鏡が発明されたのは、17世紀のことです。オランダの商人で科学者のレーウェンフックは、池の水を取ってきて、自作の顕微鏡で観察してみました。すると水の中を、目には見えない小さな生物が動き回っていることを発見しました。人類が初めて「微生物」の存在を確認した瞬間です。

19世紀後半になると、研究者たちの努力によって、「微生物の中には、病気を引き起こす原因となる生き物(病原体)がいるらしい」ということもわかってきました。ドイツの細菌学者だったコッホは、炭疽菌が炭素症を、結核菌が結核を引き起こすことをつきとめました。また、何度も世界中で大流行したペストの原因となるペスト菌を発見した研究者の一人は、日本の北里柴三郎です。

細菌の発見や研究に比べると、ウイルスの発見や研究は少し遅れました。ウイルスはとても小さいので、当時の顕微鏡では見る

ことができなかったからです。

研究者たちが「細菌よりも小さい病原体がいるみたいだぞ」と気づいたのは、19世紀末のことです。小さな細菌でも通ることができない「細菌ろ過器」という装置を通る生き物がいることを発見したからです。この、とても小さな病原体であるウイルスを実際に見ることができるようになったのは、電子顕微鏡という高性能の顕微鏡が発明されたあとの1940年代に入ってからのことでした。

## 微生物発見の歴史

| 1670年ごろ | レーウェンフックが顕微鏡を製作 |
|---|---|
| 1798年 | ジェンナーが種痘法を発表(38ページ) |
| 1861年 | パスツールが生命の自然発生説を否定 |
| 1882年 | コッホが結核菌を発見 |
| 1883年 | コッホがコレラ菌を発見 また、このころにチフス菌、ジフテリア菌、大腸菌が発見される |
| 1889年 | 北里柴三郎が破傷風菌の純粋培養に成功 |
| 1892年 | ロシアのドミトリー・イワノフスキーが細菌ろ過器を通り抜ける病原体(ウイルス)の存在をつきとめる |
| 1931年 | 電子顕微鏡が開発される |

オランダのアントーニ・ファン・レーウェンフック（1632〜1723年）は独学で顕微鏡を作り、多くの微生物を観察。「微生物学の父」と呼ばれています。

## レーウェンフック

レーウェンフックの顕微鏡

微生物を発見した偉人たち

フランスのルイ・パスツール（1822〜1895年）は「白鳥の首フラスコ」という器具を使って、腐敗は外から侵入した微生物によって起こることを証明しました。ワクチンによる予防接種の発明者でもあります。

## パスツール

### 白鳥の首フラスコ

ふつうのフラスコに入れたスープは腐りますが、白鳥の首のように先を曲げると菌などが入らず、腐りません。

## 北里柴三郎

## コッホ

すごーい！

ドイツのロベルト・コッホ（1843〜1910年）は炭疽菌、結核菌、コレラ菌を発見し、パスツールとともに「近代細菌学の開祖」と呼ばれています。

北里柴三郎（1853年〜1931年）はドイツでコッホに学び、ペスト菌の発見や破傷風の治療法開発などの大きな功績を残しました。「日本の細菌学の父」と呼ばれています。

第2章 人類と感染症

# 6 病気を予防するワクチンが誕生

感染症の薬には、病気になるのをふせぐための薬と、病気になったときに治すための薬があります。このうち病気をふせぐための薬のことをワクチンといいます。

みなさんもインフルエンザなどの病気にならないように、予防接種を受けたことがあると思います。あのときの注射器の中に入っている液体がワクチンです。

このワクチンを病気の予防のために世界で初めて使ったのは、18世紀のイギリスの医師であるジェンナーという人でした。

ジェンナーが生きていた時代には、しばしば天然痘が大流行して、多くの人が亡くなっていました。けれどもウシの乳しぼりをしている農家の中で、牛痘という病気になったことがある人は、「なぜだかわからないが天然痘にはならない」といわれていました。

牛痘というのは、ウシなどを宿主とする牛痘ウイルスが引き起こす感染症のことで、乳しぼりをしている人がよくかかる病気でした。といっても、皮ふに水ぶくれができたり、少し熱が出たりするぐらいの軽い病気です。

ジェンナーは、牛痘にかかった人が天然痘にならないのなら、牛痘の病原体をあらかじめ人の体の中に入れておけば、天然痘の発症をふせげるのではないかと考えました。

そこで自分の子どもや近所の子どもに、まずは牛痘の病原体を接種して、1か月後に今度は天然痘の病原体を接種しました(これを種痘といいます)。するとジェンナーの予想どおり、どの子どもからも、天然痘の症状はあらわれませんでした。

その理由はジェンナーの時代にはよくわかっていませんでしたが、のちの研究で、それぞれの病気の原因となる病原体の力を弱めたものを、体の中にあらかじめ入れておくと、体内で免疫というものができることが明らかになりました。そして免疫は、あとで同じ病原体が体の中に入ってきたとき、発症をくい止める活躍をするのです(免疫については、このシリーズの第2巻でくわしく説明しています)。

ワクチンとは、この「病原体の力を弱めたもの」のことを言います。牛痘ウイルスは天然痘ウイルスととてもよく似ていて、しかも病原体としての力が弱かったため、牛痘ウイルスが天然痘に対するワクチンの役割を果たしてくれたわけです。

ジェンナーは天然痘以外の感染症にワクチンを使うことは考えていませんでしたが、1879年にパスツール(37ページ)がニワトリコレラワクチンを開発したのをきっかけに、科学的なワクチン製造が始まりました。今ではさまざまな感染症のワクチンが作られるようになっています。

# 牛痘からワクチンが誕生した

乳しぼりをする人は牛痘にかかるが天然痘にはかからない。そこで……。

エドワード・ジェンナー(1749〜1823年)はイギリスの医師。「近代免疫学の父」と呼ばれています。

子どもに牛痘や天然痘の病原体を接種すると、天然痘にかからなくなった!これがワクチンの発見でした。

## すごい発見だね

# 7 抗生物質ってなに?

　ジェンナーの種痘をきっかけに、感染症になるのをふせぐための薬であるワクチンが、少しずつ開発され始めました。一方、感染症になったときに治すための薬は、20世紀に入ってからもなかなか作ることができずにいました。ところがその薬は、ある失敗から偶然に誕生しました。

　1928年、イギリスの細菌学者のフレミングは、研究のために黄色ブドウ球菌という細菌を培養(増殖させること)していました。ところが培養したプレート(シャーレ)の中に、まちがってアオカビが入ってしまいました。せっかくの研究が台無しです。

　しかしフレミングは、アオカビが入ったプレートを観察しているうちに、ある大発見をします。アオカビのまわりだけ黄色ブドウ球菌が増殖していなかったのです。

　フレミングはその後も研究を続け、アオカビからはブドウ球菌を殺す物質が出ていることをつきとめます。フレミングはこの物質を「ペニシリン」と名づけました。こうした、細菌を殺す力を持った物質のことを「抗生物質」といいます。

　やがてペニシリンは、フレミングのあとをついだ研究者たちの努力によって、薬として使うことができるようになりました(抗生物質から作った薬を抗生剤といいます)。この薬を感染症の患者に使ってみると、病原体で

ある細菌が死んで、患者はみるみるうちに回復していきました。そのためペニシリンは、人類を感染症から救う魔法の薬になると期待されました。

　しかし、よろこびはつかの間でした。しばらくすると細菌のほうが変化をとげて、ペニシリンが効かなくなってしまったのです。そこでペニシリン以外の抗生物質を開発したところ、しばらくの間は効くのですが、やっぱりまた細菌が変化をとげて効かなくなってしまいました。こうしたことが、今に至るまで何度もくりかえされてきました。

　なお、抗生物質は、細菌には効きますが、ウイルスに対して効果はありません。

　細菌には、ほかの生物と同じように細胞があります。細胞には細胞壁という部分があります。抗生物質は、細菌がこの細胞壁を作れないようにじゃまをすることで細菌を殺します。ところがウイルスには細胞がなく、細胞壁もないので、殺しようがないのです。

　そのため現在では、ウイルスに関しては、それぞれのウイルスごとに抗ウイルス薬と呼ばれる薬が開発されています。

# 細菌に対する強力な武器

アレクサンダー・フレミング（1881～1955年）はイギリスの細菌学者。偶然から抗生物質を発見しました。

アオカビのコロニー

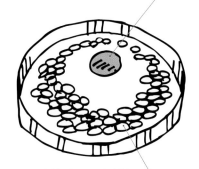

黄色ブドウ球菌のコロニー

アオカビのまわりだけ黄色ブドウ球菌が増殖していない! これはもしや……。

ペニシリン

フレミングはアオカビから細菌を殺す物質が出ていることをつきとめ、ペニシリンと名づけました。

## よく覚えておこう

### 抗生物質が効くのは細菌だけ

ウイルスには抗ウイルス薬

細菌には抗生物質

抗生物質の効果があるのは細菌だけ。ウイルスには抗ウイルス薬を使います。

# 8 スペインかぜが多くの人の命を奪った

このシリーズの第1巻で説明しているように、ウイルスはどんどん変化していきます。インフルエンザウイルスも、変化しやすいウイルスの一つ。だいたい数十年に1回のペースで、これまでのウイルスとは構造が大きくちがう新型インフルエンザウイルスが登場します。

新しいウイルスに対しては、わたしたちは免疫を持っていないので、多くの人が感染しやすくなります。しかも、そのウイルスの力が強力なものだったら、たくさんの人が亡くなるということが起こりえます。

今からおよそ100年前の1918年から1919年にかけて、「スペインかぜ」と呼ばれる新型インフルエンザが流行したことがありました。スペインかぜは、1918年3月にアメリカとヨーロッパで流行が始まって、夏には一度おさまりました。このときはまだ感染した人のうち、亡くなる人の割合はそんなに多くありませんでした。ところが秋の終わりからふたたび流行が始まると、死ぬ人の割合は最初の流行の約10倍に高まりました。原因は不明ですが、おそらく流行している間に、ウイルスがより強力になったのではないかといわれています。

このあとスペインかぜは、1919年の初めにもう一度流行して、ようやくおさまりました。亡くなった人の数は、全世界で4000万人から1億人とされています。日本でも約38万人が亡くなりました（約45万人という説もあります）。

スペインかぜが流行した当時は、ちょうど第一次世界大戦といって、世界の国々が戦争をしている真っ最中でした。この戦争の死者は、900万人から1400万人とされています。ものすごい数の人が死んだわけですが、スペインかぜで死んだ人のほうがだんぜん多いのです。

実は、世界の国々がこの戦争をやめることになったのも、兵士の多くがスペインかぜにかかってしまい、戦い続けることができなくなったからだといわれています。

インフルエンザというと、うつると高い熱が出てつらいことはつらいけれども、ものすごく大変な病気だというイメージはないかもしれません。しかし特に新型インフルエンザについては、多くの人の命を奪う危険性があるので、注意が必要です。

## こ、怖すぎる……

# インフルエンザは戦争よりもおそろしい

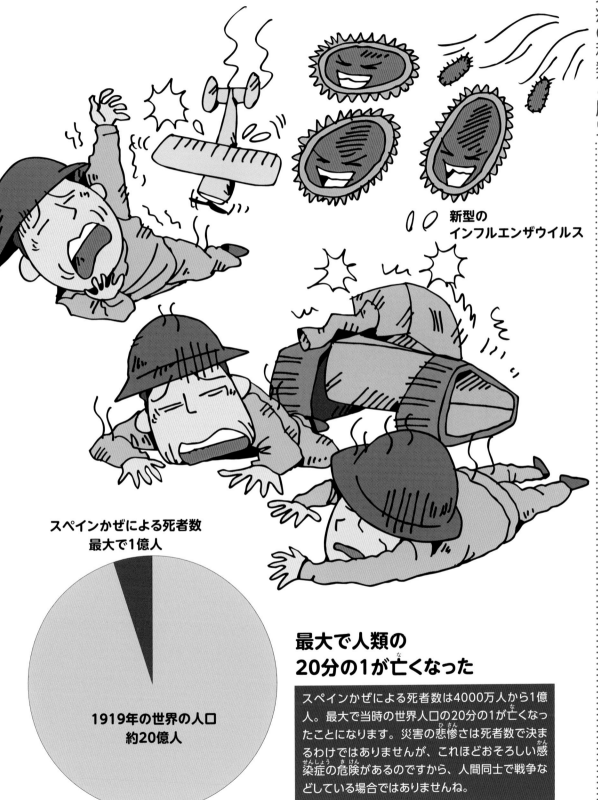

新型の
インフルエンザウイルス

スペインかぜによる死者数
最大で1億人

1919年の世界の人口
約20億人

## 最大で人類の
## 20分の1が亡くなった

スペインかぜによる死者数は4000万人から1億人。最大で当時の世界人口の20分の1が亡くなったことになります。災害の悲惨さは死者数で決まるわけではありませんが、これほどおそろしい感染症の危険があるのですから、人間同士で戦争などしている場合ではありませんね。

# 第2章 人類と感染症
# 9 人類が新しい感染症をつくり出している？

この50年ぐらいの間に、新しい感染症が次々と出てきています。エボラ出血熱、エイズ（後天性免疫不全症候群）、SARS（重症急性呼吸器症候群）、MERS（中東呼吸器症候群）、新型コロナウィルス感染症などがそうです。

新しい感染症を引き起こす病原体の中には、もともと野生動物を宿主としていたものが少なくありません。たとえばエボラ出血熱を引き起こすエボラウイルスは、もともとはコウモリを宿主としていたという説が有力です。本来は野生動物を宿主としていたのに、何かをきっかけに人の体内に入り込み、人にもうつる新しい病気が生み出されたのです。

人類はこの数十年間、野生動物が暮らしていた森林を開発のためにどんどん切り崩してきました。そのため住む場所を失った野生動物は、人が暮らす村や町に近づいてきました。すると人と野生動物が接触する機会が増え、病原体が動物から人へとうつる可能性も高まります。そういう意味では、新しい感染症が増えているのは、人間自身が招いたことといえます。

また地球は今、人類が石油などの化石燃料をたくさん使ったことで、温室効果ガスが空をおおうようになり、温暖化が進んでいます。この地球温暖化も、感染症を広げる要因の一つになります。

蚊やノミ、シラミなど、病原体を人や動物の体に運んでくる生き物のことを衛生動物といい

ますが、衛生動物の中には、気温が高いところに生息するものがいます。地球全体の気温が上昇すれば、それらの動物が生息する場所も広がっていきます。すると、これまではある暑い地域だけで流行していた感染症が、ほか

## 1950年代以降に世界で流行した感染症

| 1957年 | アジアかぜ |
|---|---|
| 1968年 | 香港かぜ |
| 1976年 | エボラ出血熱 |
| 1981年 | エイズ（後天性免疫不全症候群） |
| 1996年 | プリオン病 |
| 1997年 | 鳥インフルエンザ |
| 2002年 | SARS（重症急性呼吸器症候群） |
| 2004年 | 鳥インフルエンザ |
| 2009年 | 新型インフルエンザ |
| 2012年 | MERS（中東呼吸器症候群）） |
| 2014年 | エボラ出血熱 |
| 2020年 | 新型コロナウイルス感染症 |

44

の地域にまで広がる可能性が高まります。

　新しい感染症の流行を前に、わたしたち人類
はいったん落ち着いて、未来のことをよくよく
考えてみたほうがよいのかもしれません。

## 人類と感染症の戦いのゆくえは……？

なんとしても
感染症をふせごう！

感染症法（感染症の予防及び感染症の患者に対する医療に関する法律）では、危険度によって感染症を5つに分類しています。1類が最も危険度の高い感染症です。また感染症罹患患者の把握には、全数を正確に知る「全数把握」と、おおよその数を知る「定点把握」があります。

## 参考資料 感染症法における感染症の分類

|  |  |
|---|---|
| 1類 | エボラ出血熱 |
| | クリミア・コンゴ出血熱 |
| | 痘そう |
| | 南米出血熱 |
| | ペスト |
| | マールブルグ病 |
| | ラッサ熱 |
| 2類 | 急性灰白髄炎 |
| | 結核 |
| | ジフテリア |
| | 重症急性呼吸器症候群（病原体がコロナウイルス属SARSコロナウイルスであるものに限る） |
| | 中東呼吸器症候群（病原体がベータコロナウイルス属MERSコロナウイルスであるものに限る） |
| | 鳥インフルエンザ（H5N1） |
| | 鳥インフルエンザ（H7N9） |
| 3類 | コレラ |
| | 細菌性赤痢 |
| | 腸管出血性大腸菌感染症 |
| | 腸チフス |
| | パラチフス |
| 4類 | E型肝炎 |
| | ウエストナイル熱 |
| | A型肝炎 |
| | エキノコックス症 |
| | 黄熱 |
| | オウム病 |
| | オムスク出血熱 |
| | 回帰熱 |
| | キャサヌル森林病 |
| | Q熱 |
| | 狂犬病 |
| | コクシジオイデス症 |
| | サル痘 |
| | ジカウイルス感染症 |
| | 重症熱性血小板減少症候群（病原体がフレボウイルス属SFTSウイルスであるものに限る） |
| | 腎症候性出血熱 |
| | 西部ウマ脳炎 |
| | ダニ媒介脳炎 |
| | 炭疽 |
| | チクングニア熱 |
| | つつが虫病 |
| | デング熱 |
| | 東部ウマ脳炎 |
| | 鳥インフルエンザ（鳥インフルエンザ（H5N1及びH7N9）を除く） |
| | ニパウイルス感染症 |
| | 日本紅斑熱 |
| | 日本脳炎 |
| | ハンタウイルス肺症候群 |
| | Bウイルス病 |
| | 鼻疽 |
| | ブルセラ症 |
| | ベネズエラウマ脳炎 |
| | ヘンドラウイルス感染症 |
| | 発しんチフス |
| | ボツリヌス症 |
| | マラリア |
| | 野兎病 |

|  |  |
|---|---|
| 4類 | ライム病 |
| | リッサウイルス感染症 |
| | リフトバレー熱 |
| | 類鼻疽 |
| | レジオネラ症 |
| | レプトスピラ症 |
| | ロッキー山紅斑熱 |
| 5類 | アメーバ赤痢 |
| | RSウイルス感染症 |
| | 咽頭結膜熱 |
| | インフルエンザ（鳥インフルエンザ及び新型インフルエンザ等感染症を除く） |
| | ウイルス性肝炎（E型肝炎及びA型肝炎を除く） |
| | A群溶血性レンサ球菌咽頭炎 |
| | カルバペネム耐性腸内細菌科細菌感染症 |
| | 感染性胃腸炎 |
| | 急性出血性結膜炎 |
| | 急性弛緩性麻痺 |
| | 急性脳炎（ウエストナイル脳炎、西部ウマ脳炎、ダニ媒介脳炎、東部ウマ脳炎、日本脳炎、ベネズエラウマ脳炎及びリフトバレー熱を除く） |
| | クラミジア肺炎（オウム病を除く） |
| | クリプトスポリジウム症 |
| | クロイツフェルト・ヤコブ病 |
| | 劇症型溶血性レンサ球菌感染症 |
| | 後天性免疫不全症候群 |
| | 細菌性髄膜炎（侵襲性インフルエンザ菌感染症、侵襲性髄膜炎菌感染症及び侵襲性肺炎球菌感染症を除く） |
| | ジアルジア症 |
| | 侵襲性インフルエンザ菌感染症 |
| | 侵襲性髄膜炎菌感染症 |
| | 侵襲性肺炎球菌感染症 |
| | 水痘 |
| | 性器クラミジア感染症 |
| | 性器ヘルペスウイルス感染症 |
| | 尖圭コンジローマ |
| | 先天性風しん症候群 |
| | 手足口病 |
| | 伝染性紅斑 |
| | 突発性発しん |
| | 梅毒 |
| | 播種性クリプトコックス症 |
| | 破傷風 |
| | バンコマイシン耐性黄色ブドウ球菌感染症 |
| | バンコマイシン耐性腸球菌感染症 |
| | 百日咳 |
| | 風しん |
| | ペニシリン耐性肺炎球菌感染症 |
| | ヘルパンギーナ |
| | マイコプラズマ肺炎 |
| | 麻しん |
| | 無菌性髄膜炎 |
| | メチシリン耐性黄色ブドウ球菌感染症 |
| | 薬剤耐性アシネトバクター感染症 |
| | 薬剤耐性緑膿菌感染症 |
| | 流行性角結膜炎 |
| | 流行性耳下腺炎 |
| | 淋菌感染症 |
| | 新型インフルエンザ等感染症 |

このほかに、指定感染症（既知の感染症で重大な影響のあるもの）と新感染症（未知の感染症で重大な影響のあるもの）があります。

# 全数把握を行う感染症

| 1類感染症 |
| --- |
| エボラ出血熱 |
| クリミア・コンゴ出血熱 |
| 痘そう |
| 南米出血熱 |
| ペスト |
| マールブルグ病 |
| ラッサ熱 |

| 2類感染症 |
| --- |
| 急性灰白髄炎 |
| 結核 |
| ジフテリア |
| 重症急性呼吸器症候群(病原体がコロナウイルス属SARSコロナウイルスであるものに限る) |
| 中東呼吸器症候群(病原体がベータコロナウイルス属MERSコロナウイルスであるものに限る) |
| 鳥インフルエンザ(H5N1) |
| 鳥インフルエンザ(H7N9) |

| 3類感染症 |
| --- |
| コレラ |
| 細菌性赤痢 |
| 腸管出血性大腸菌感染症 |
| 腸チフス |
| パラチフス |

| 4類感染症 |
| --- |
| E型肝炎 |
| ウエストナイル熱 |
| A型肝炎 |
| エキノコックス症 |
| 黄熱 |
| オウム病 |
| オムスク出血熱 |
| 回帰熱 |
| キャサヌル森林病 |
| Q熱 |
| 狂犬病 |
| コクシジオイデス症 |
| サル痘 |
| ジカウイルス感染症 |
| 重症熱性血小板減少症候群(病原体がフレボウイルス属SFTSウイルスであるものに限る) |
| 腎症候性出血熱 |
| 西部ウマ脳炎 |
| ダニ媒介脳炎 |
| 炭疽 |
| チクングニア熱 |
| つつが虫病 |
| デング熱 |
| 東部ウマ脳炎 |
| 鳥インフルエンザ(鳥インフルエンザ(H5N1及びH7N9)を除く) |

| |
| --- |
| ニパウイルス感染症 |
| 日本紅斑熱 |
| 日本脳炎 |
| ハンタウイルス肺症候群 |
| Bウイルス病 |
| 鼻疽 |
| ブルセラ症 |
| ベネズエラウマ脳炎 |
| ヘンドラウイルス感染症 |
| 発しんチフス |
| ボツリヌス症 |
| マラリア |
| 野兎病 |
| ライム病 |
| リッサウイルス感染症 |
| リフトバレー熱 |
| 類鼻疽 |
| レジオネラ症 |
| レプトスピラ症 |
| ロッキー山紅斑熱 |

| 5類感染症の一部 |
| --- |
| アメーバ赤痢 |
| ウイルス性肝炎(E型肝炎及びA型肝炎を除く) |
| カルバペネム耐性腸内細菌科細菌感染症 |
| 急性弛緩性麻痺(急性灰白髄炎を除く) |
| 急性脳炎(ウエストナイル脳炎、西部ウマ脳炎、ダニ媒介脳炎、東部ウマ脳炎、日本脳炎、ベネズエラウマ脳炎及びリフトバレー熱を除く) |
| クリプトスポリジウム症 |
| クロイツフェルト・ヤコブ病 |
| 劇症型溶血性レンサ球菌感染症 |
| 後天性免疫不全症候群 |
| ジアルジア症 |
| 侵襲性インフルエンザ菌感染症 |
| 侵襲性髄膜炎菌感染症 |
| 侵襲性肺炎球菌感染症 |
| 水痘(入院例に限る) |
| 先天性風しん症候群 |
| 梅毒 |
| 播種性クリプトコックス症 |
| 破傷風 |
| バンコマイシン耐性黄色ブドウ球菌感染症 |
| バンコマイシン耐性腸球菌感染症 |
| 百日咳 |
| 風しん |
| 麻しん |
| 薬剤耐性アシネトバクター感染症 |

| 指定感染症 |
| --- |
| 新型コロナウイルス感染症(病原体がベータコロナウイルス属のコロナウイルス(令和二年一月に中華人民共和国から世界保健機関に対して、人に伝染する能力を有することが新たに報告されたものに限る)であるものに限る) |

# 定点把握を行う感染症

## 5類感染症の一部

| 小児科定点医療機関(全国約3,000カ所の小児科医療機関)が届出するもの |
| --- |
| RSウイルス感染症 |
| 咽頭結膜熱 |
| A群溶血性レンサ球菌咽頭炎 |
| 感染性胃腸炎 |
| 水痘 |
| 手足口病 |
| 伝染性紅斑 |
| 突発性発しん |
| ヘルパンギーナ |
| 流行性耳下腺炎 |

| インフルエンザ定点医療機関(全国約5,000カ所の内科・小児科医療機関)、及び基幹定点医療機関(全国約500カ所の病床数300以上の内科・外科医療機関)が届出するもの |
| --- |
| インフルエンザ(鳥インフルエンザ及び新型インフルエンザ等感染症を除く) |

| 眼科定点医療機関(全国約700カ所の眼科医療機関)が届出するもの |
| --- |
| 急性出血性結膜炎 |
| 流行性角結膜炎 |

| 性感染症定点医療機関(全国約1,000カ所の産婦人科等医療機関)が届出するもの |
| --- |
| 性器クラミジア感染症 |
| 性器ヘルペスウイルス感染症 |
| 尖圭コンジローマ |
| 淋菌感染症 |

| 基幹定点医療機関(全国約500カ所の病床数300以上の医療機関)が届出するもの |
| --- |
| 感染性胃腸炎(病原体がロタウイルスであるものに限る) |
| クラミジア肺炎(オウム病を除く) |
| 細菌性髄膜炎(髄膜炎菌、肺炎球菌、インフルエンザ菌を原因として同定された場合を除く) |
| マイコプラズマ肺炎 |
| 無菌性髄膜炎 |
| ペニシリン耐性肺炎球菌感染症 |
| メチシリン耐性黄色ブドウ球菌感染症 |
| 薬剤耐性緑膿菌感染症 |

| 疑似症定点医療機関(全国約700カ所の集中治療を行う医療機関等)が届出するもの |
| --- |
| 法第14条第1項に規定する厚生労働省令で定める疑似症 |

厚生労働省ホームページより

## [参考資料]

■書籍

荒島康友著『ペット溺愛が生む病気』(講談社ブルーバックス)

池上彰、増田ユリヤ著『感染症対人類の世界史』(ポプラ新書)

石弘之著『感染症の世界史』(角川ソフィア文庫)

岡田晴恵著、きしらまゆこ絵『おしえて! インフルエンザのひみつ』(ポプラ社)

岡田晴恵監修、いとうみつるイラスト『感染症キャラクター図鑑』(日本図書センター)

岡田晴恵著『人類VS感染症』(岩波ジュニア文庫)

岡田晴恵著『どうする!? 新型コロナ』(岩波ブックレット)

岡部信彦著『かぜとインフルエンザ』(少年写真新聞社)

河岡義裕、今井正樹監修
『猛威をふるう「ウイルス・感染症」にどう立ち向かうのか』(ミネルヴァ書房)

北里英郎、原知矢、中村正樹著『ウイルス・細菌の図鑑』(技術評論社)

北元憲利著『のぞいてみようウイルス・細菌・真菌図鑑1

小さくてふしぎな ウイルスのひみつ』(ミネルヴァ書房)

北元憲利著『のぞいてみようウイルス・細菌・真菌図鑑2

善玉も悪玉もいる 細菌のはたらき』(ミネルヴァ書房)

北元憲利著『のぞいてみようウイルス・細菌・真菌図鑑3

キノコやカビのなかま 真菌のふしぎ』(ミネルヴァ書房)

斉藤勝司著、目黒寄生虫館監修『寄生虫の奇妙な世界』(誠文堂新光社)

左巻健男監修『身近にあふれる「微生物」が3時間でわかる本』(明日香出版社)

神野正史監修『感染症と世界史』(宝島社)

竹田美文監修『身近な感染症 こわい感染症』(日東書院本社)

竹田美文著『よみがえる感染症』(岩波書店)

田爪正氣、築地真実著『ウイルスの手帳』(研成社)

トニー・ハート著、中込治訳『恐怖の病原体図鑑』(西村書店)

中原英臣、佐川峻著『感染するとはどういうことか』(講談社ブルーバックス)

■論文

北本哲之「プリオン病ってどんなもの?」(『まなびの杜』2004年夏号 No.28)

田口文広、松山州徳「コロナウイルスの細胞侵入機構」(ウイルス 第59巻 第2号 2009)

■webページ

AMR臨床リファレンスセンター

エイチ・エー・ビー研究機構

NHK

MSDマニュアル

大塚製薬

岡山県

帯広畜産大学

小野薬品

神奈川県衛生研究所

環境省

近畿大学病院

原生動物園

厚生労働省

厚生労働省検疫所

国際連合広報センター

国立がん研究センターがん情報サービス

国立感染症研究所

国立感染症研究所感染症情報センター

佐賀新聞LiVE

シオノギ製薬

政府広報オンライン

全日本民医連

第一三共ヘルスケア

大幸薬品

中外製薬

腸内細菌学会

東京新聞

東京都感染症情報センター

東京都健康安全研究センター

東京都福祉保健局

東京都防災ホームページ

ドクターズファイル

日経BP NIKKEI STYLE

日本医師会

日本歯科医師会

日本小児科学会

日本WHO協会

日本BD

日本薬学会

日本臨床歯周病学会

農林水産省

バイエル薬品

はじめよう! やってみよう! 口腔ケア

BIKEN

久光製薬

広島県

富士フイルム インフルラボ

丸石製薬 感染対策コンシェルジュ

マルホ

三重県感染症情報センター

メディカルトリビューン

ヤクルト中央研究所

読売新聞社 ヨミドクター

ライオン

Leprosy.jp

ワークアップ

新型コロナからインフルエンザまで
## 知ってふせごう! 身のまわりの感染症
### ③感染症の種類と歴史

2020年11月10日　初版第1刷発行

監 修 者　近藤慎太郎
編 集 協 力　石川光則(株式会社ヒトリシャ)/長谷川敦
イ ラ ス ト　田中斉
ブックデザイン　松橋徹デザイン事務所
編 集 担 当　熊谷満
発 行 者　木内洋育
発 行 所　株式会社旬報社
〒162-0041 東京都新宿区早稲田鶴巻町544 中川ビル4F
TEL 03-5579-8973
FAX 03-5579-8975
http://www.junposha.com/
印 刷 所　シナノ印刷株式会社
製 本 所　株式会社ハッコー製本

## 監修者プロフィール

### 近藤慎太郎(こんどう・しんたろう)

1972年、東京生まれ。医学博士。北海道大学医学部、東京大学医学部医学系大学院卒。日赤医療センター、東京大学医学部付属病院、山王メディカルセンター、クリントエグゼクリニック院長などを経て、現在、近藤しんたろうクリニック院長。内科医としてこれまで多くの感染症を診察し、企業における感染対策にも従事している。市民に正しい医療情報と知識を持ってもらうために、講演やメディアを通じての啓蒙活動にも力を入れている。著書『ほんとは怖い健康診断のC・D判定』(日経BP)ほか多数。